T0087673

Rakastava

Kanteletar

JEAN SIBELIUS op. 14

Rauhallisesti
dolce
S
A
Miss' on kussa minun hy-vä-ni, miss' a-su-vi ar-ma-ha-ni,
T
B
3

mis-sä is-tu-vi i-lo-ni, kul-la maal-la mar-ja-se-ni?

Ei kuu-lu ään-tä-vän a-hoil-la, lyö-vän leik-ki-ä le-hois-sa, ei

3
f
kuu-lu sa-loil-ta soit-to, ku-kunta ei kun-na-hil-ta. Ois-
3
f

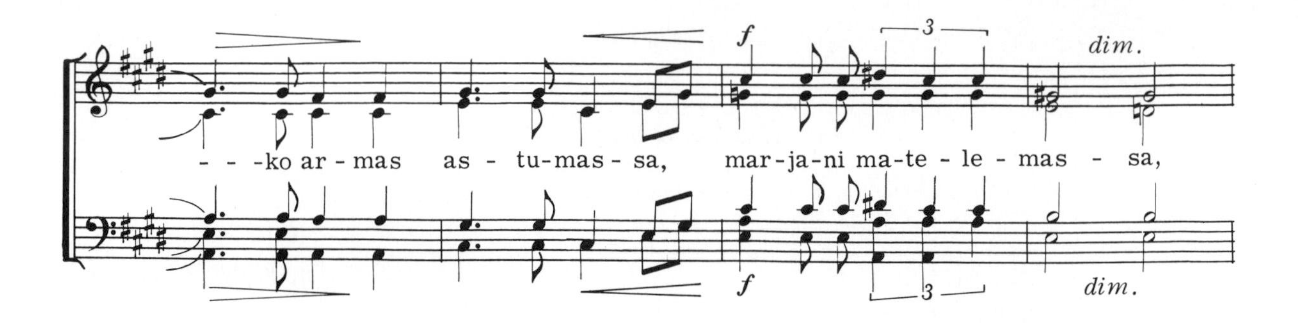
f
3
dim.
- - -ko ar - mas as - tu-mas - sa, mar - ja-ni ma-te - le - mas - sa,
f
3
dim.

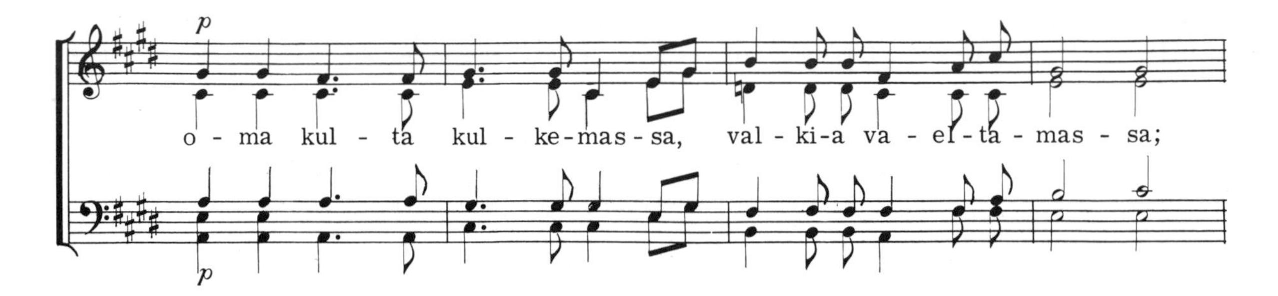
p
o - ma kul - ta kul - ke-mas - sa, val - ki-a va - el - ta - mas - sa;
p

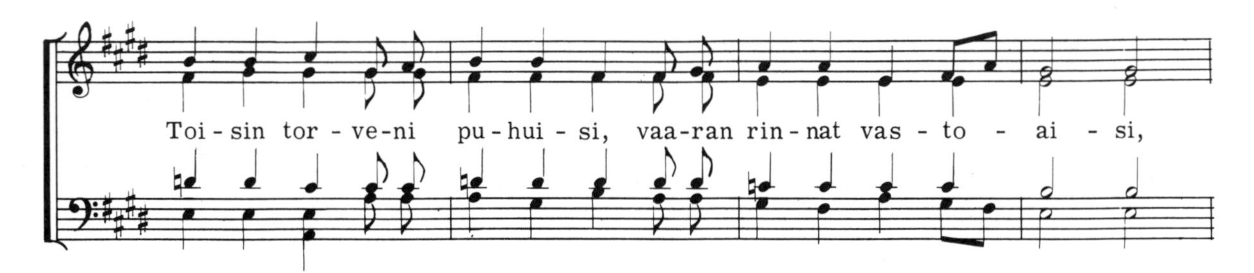
Toi - sin tor - ve-ni pu - hui - si, vaa-ran rin - nat vas - to - ai - si,

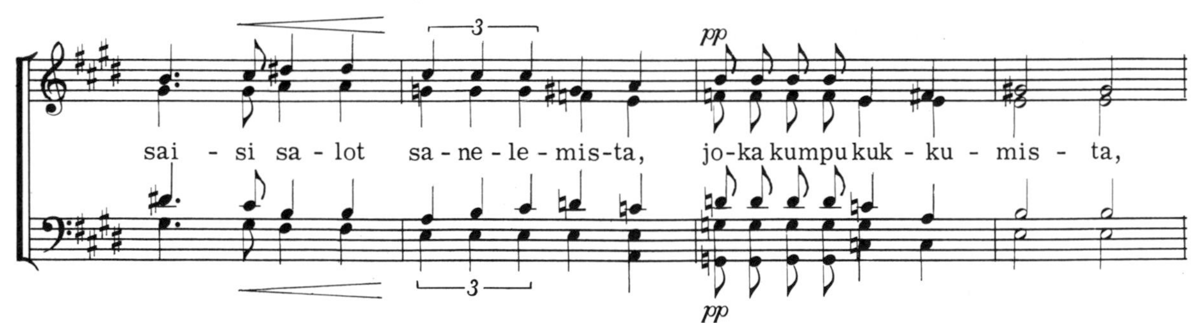
3
pp
sai - si sa - lot sa - ne - le - mis-ta, jo-ka kumpu kuk - ku - mis - ta,
3
pp

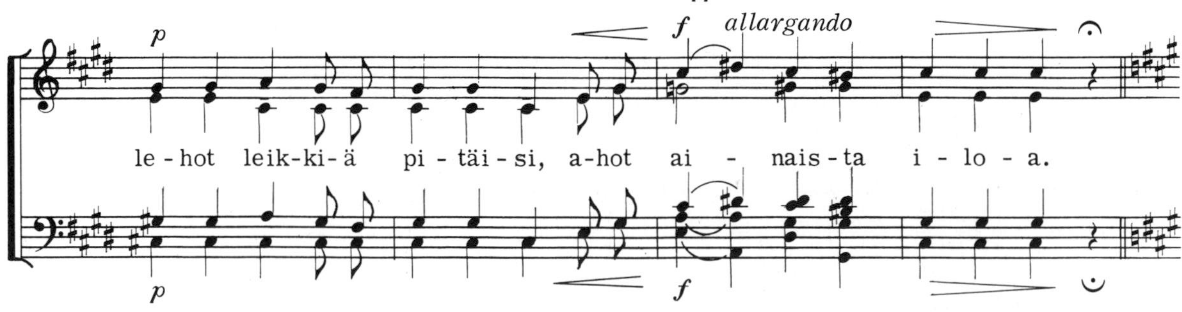
p
f allargando
le - hot leik-ki-ä pi - täi - si, a-hot ai - nais - ta i - lo - a.
p
f

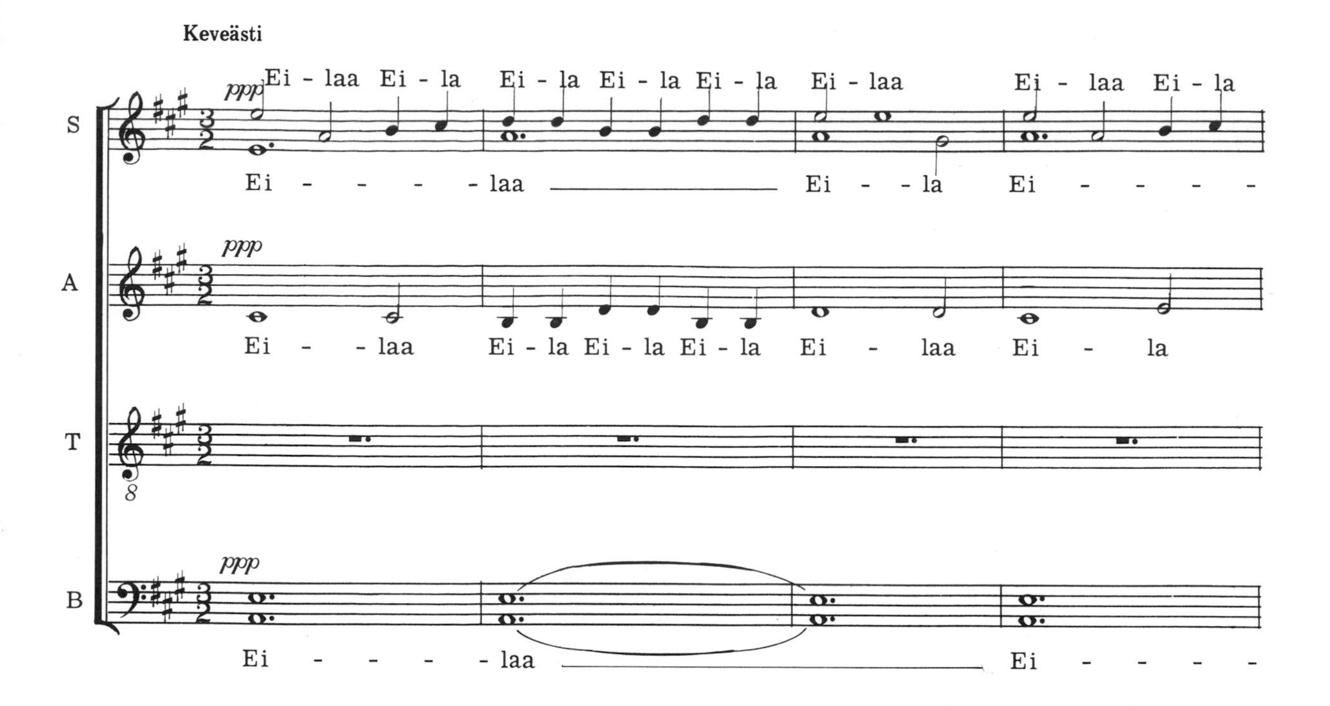
Keveästi
S
A
T
B
ppp
Ei - laa Ei - la Ei - la Ei - la Ei - la Ei - laa Ei - laa Ei - la
Ei - - - - laa Ei - - la Ei - - - -
Ei - - laa Ei - la Ei - la Ei - la Ei - laa Ei - la
Ei - - - - laa Ei - - - -

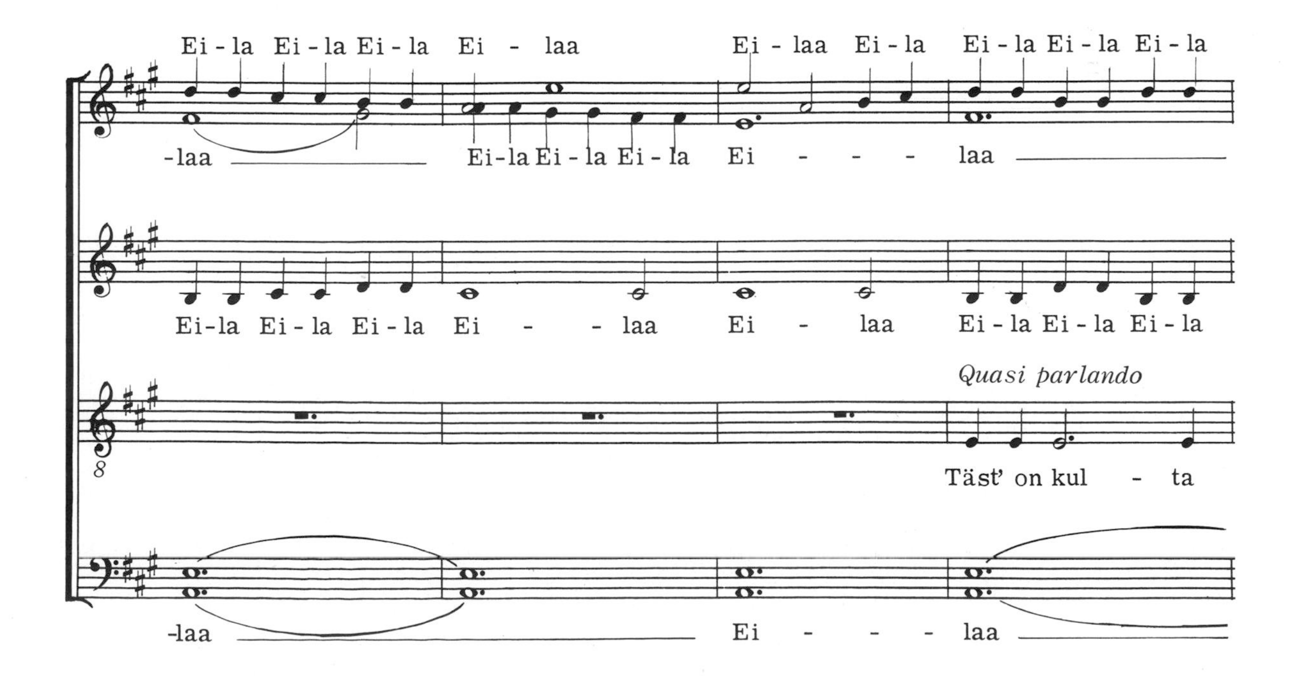
Ei - la Ei - la Ei - la Ei - laa Ei - laa Ei - la Ei - la Ei - la Ei - la
-laa Ei-la Ei - la Ei - la Ei - - - - laa
Ei-la Ei - la Ei - la Ei - - laa Ei - laa Ei - la Ei - la Ei - la
Quasi parlando
Täst' on kul - ta
-laa Ei - - - - laa

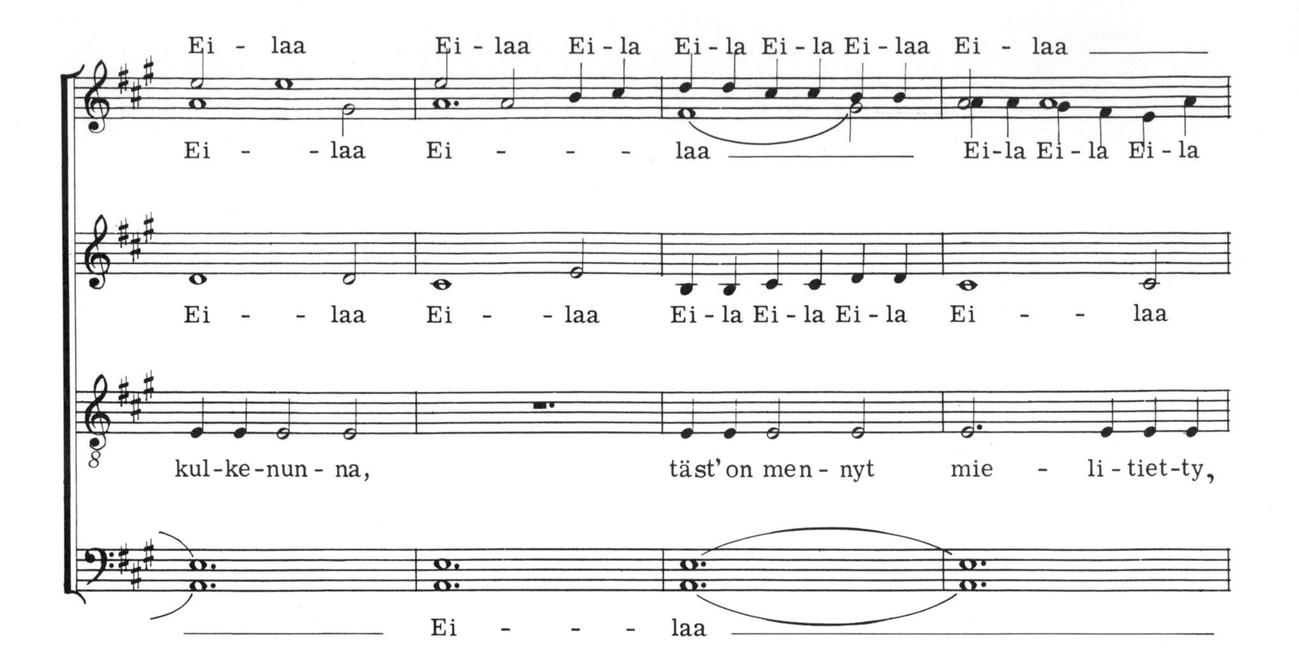
Ei - laa Ei - laa Ei - la Ei - la Ei - la Ei - laa Ei - laa
Ei - - laa Ei - - - laa Ei-la Ei - la Ei - la
Ei - - laa Ei - - laa Ei - la Ei - la Ei - la Ei - - laa
kul-ke-nun - na, täst'on men - nyt mie - li-tiet-ty,
Ei - - - laa

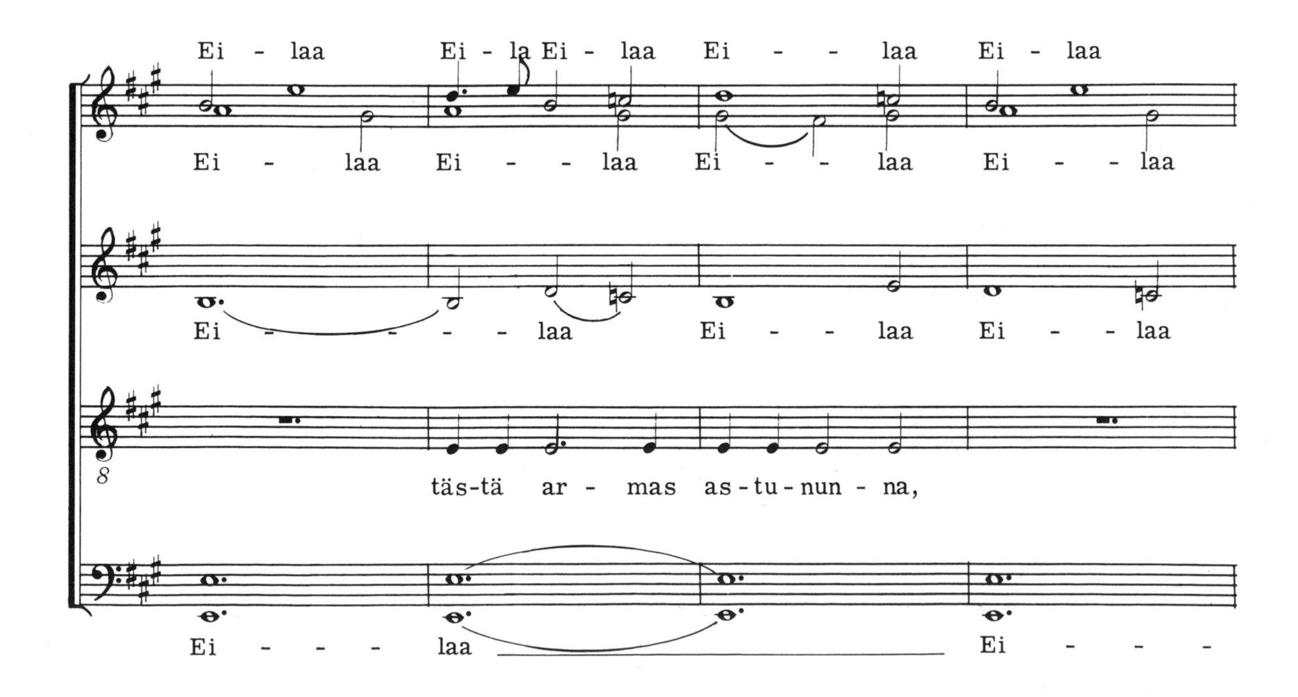
Ei - laa Ei - la Ei - laa Ei - - laa Ei - laa
Ei - laa Ei - - laa Ei - - laa Ei - - laa
Ei - - - - laa Ei - - laa Ei - - laa
täs-tä ar - mas as-tu-nun - na,
Ei - - - laa Ei - - -

Ei - la Ei - laa Ei - laa Ei - laa Ei - la Ei - laa
Ei - - laa Ei - la Ei - la Ei - la Ei - laa Ei - - laa
Ei - - laa Ei - laa Ei - - - laa
val - ki - a va-el-ta-nun - na, täss'on as - tu-nut
- laa Ei - - laa

Ei - - laa Ei - laa Ei - la Ei - laa Ei - laa Ei -
Ei - - laa Ei - laa Ei - - laa Ei - la Ei - la Ei - la
Ei - - laa Ei - laa Ei - - laa Ei - laa
a-hol - la, tuoss'on is - tu - nut ki - vel - lä,
Ei - - - laa Ei - laa

- laa Ei - la Ei - la Ei - la Ei - la Ei - laa Ei - laa Ei - la
Ei - la Ei - la Ei - la Ei - laa Ei - la Ei - la Ei - la Ei - laa
Ei - - laa Ei - la Ei - la Ei - la Ei - - laa Ei - laa
ki-vi on pal - jo kirk-ka-ham - pi,
Ei - - - laa Ei - - -

Ei - la Ei - la Ei - la Ei - laa Ei - laa Ei - la Ei - la Ei - la Ei - la
Ei - - laa Ei - la Ei-la Ei-la Ei-la Ei - la Ei-la Ei - laa
Ei-la Ei - la Ei - la Ei - - laa Ei - - laa Ei-la Ei - la Ei-la
paa - si toistansa pa - rem-pi, kan-gas kah-ta
- laa Ei - - - laa

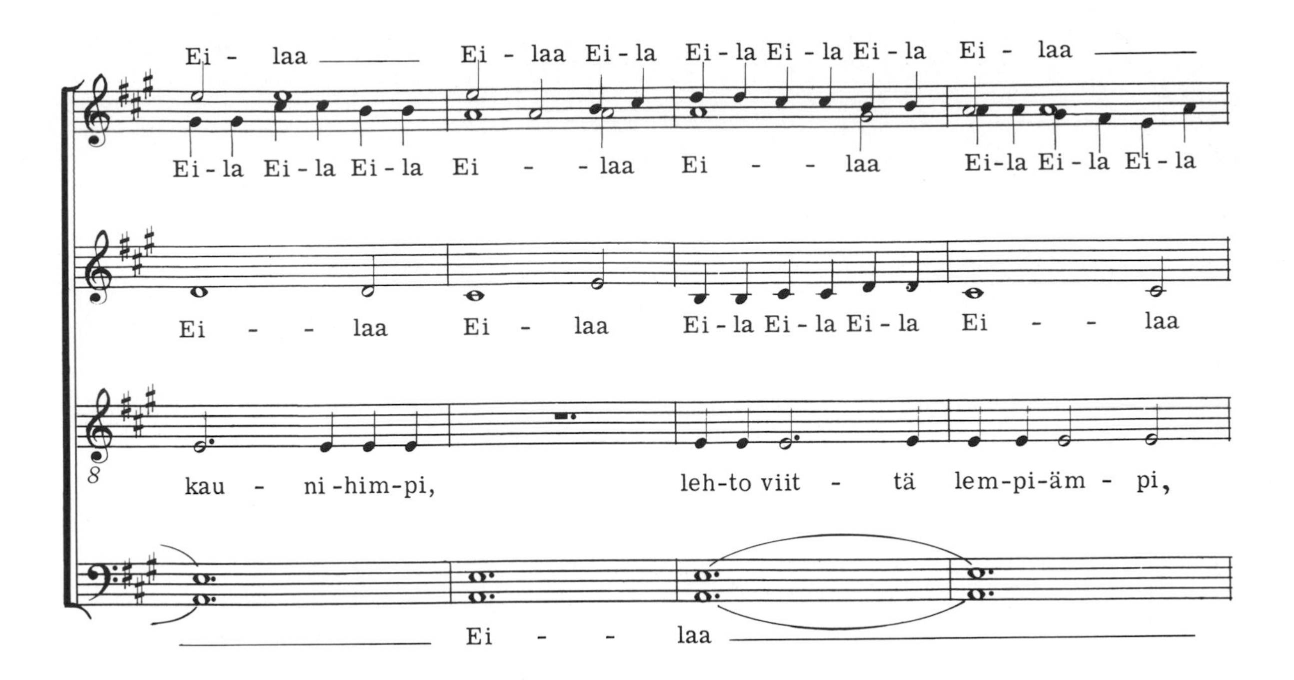
Ei - laa Ei - laa Ei - la Ei - la Ei - la Ei - la Ei - laa
Ei - la Ei - la Ei - la Ei - - laa Ei - - laa Ei-la Ei - la Ei - la
Ei - - laa Ei - laa Ei - la Ei - la Ei - la Ei - - laa
kau - ni -him-pi, leh-to viit - tä lem-pi-äm - pi,
Ei - - laa

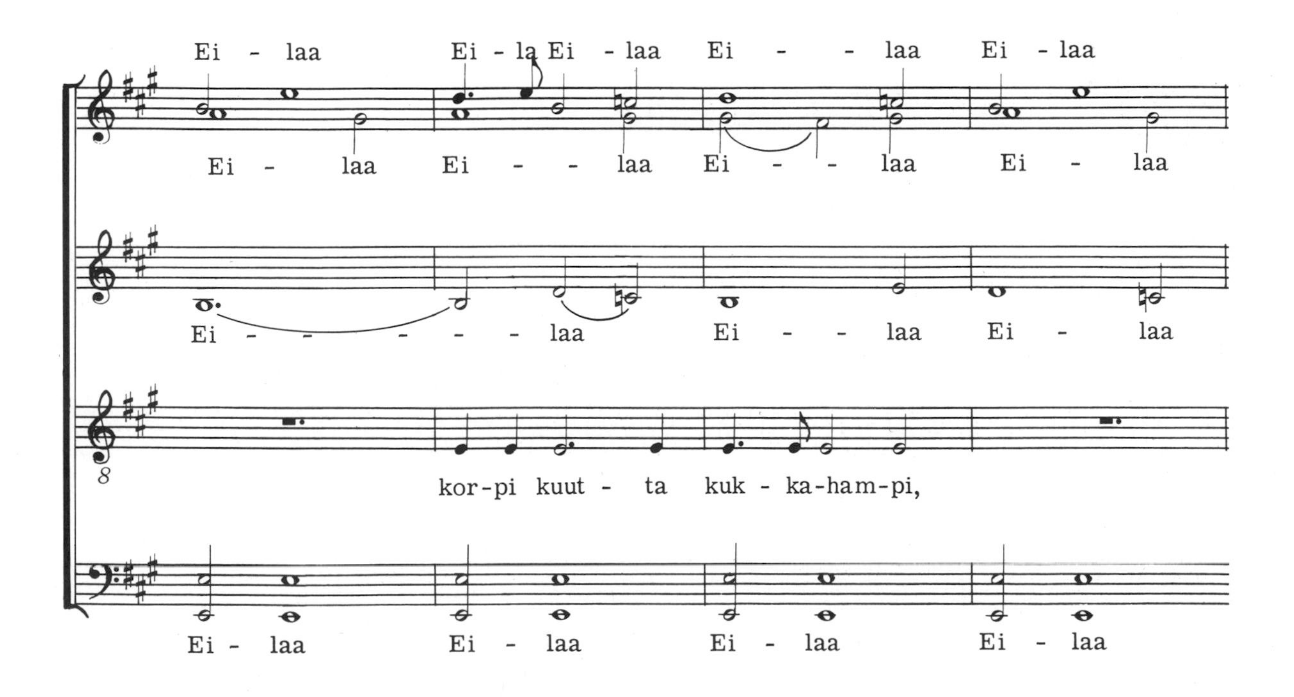
Ei - laa Ei - la Ei - laa Ei - - laa Ei - laa
Ei - laa Ei - - laa Ei - - laa Ei - laa
Ei - - - - - laa Ei - - laa Ei - laa
kor-pi kuut - ta kuk - ka-ham-pi,
Ei - laa Ei - laa Ei - laa Ei - laa

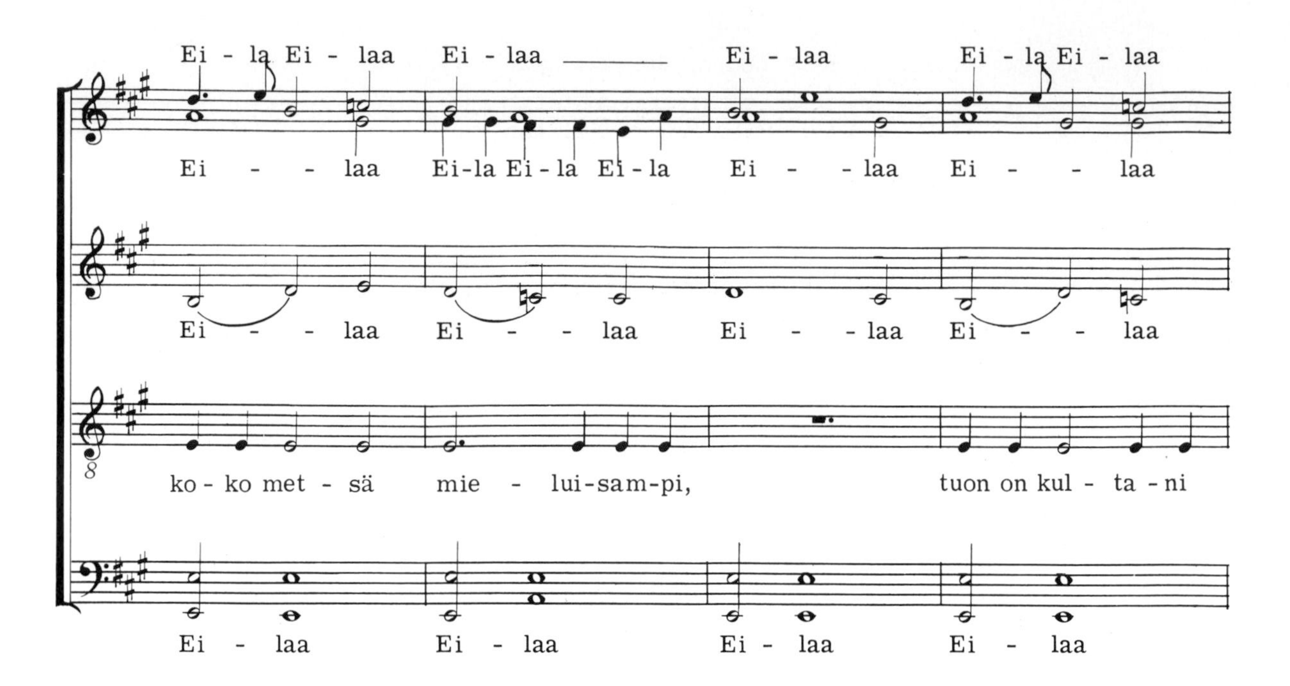
Ei - la Ei - laa Ei - laa Ei - laa Ei - la Ei - laa
Ei - - laa Ei-la Ei - la Ei - la Ei - - laa Ei - - laa
Ei - - laa Ei - - laa Ei - - laa Ei - - laa
ko - ko met - sä mie - lui-sam-pi, tuon on kul - ta - ni
Ei - laa Ei - laa Ei - laa Ei - laa

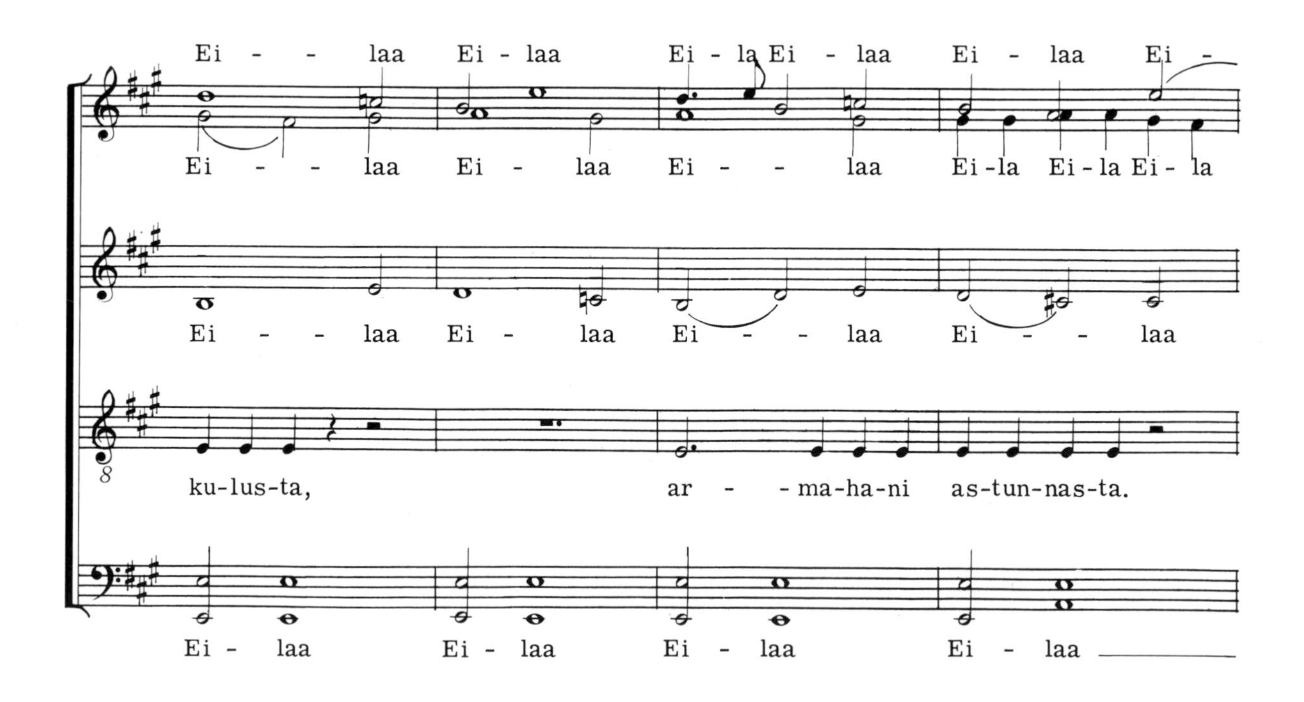
Ei - - laa Ei - laa Ei - la Ei - laa Ei - laa Ei -
Ei - - laa Ei - laa Ei - - laa Ei-la Ei - la Ei - la
Ei - - laa Ei - laa Ei - - laa Ei - - laa
ku-lus-ta, ar - - ma-ha-ni as-tun-nas-ta.
Ei - laa Ei - laa Ei - laa Ei - laa

ppp
- laa Ei - la Ei - la Ei - la Ei - la Ei - laa Ei - laa Ei - la
Ei-la Ei-la Ei-la Ei - laa Ei-la Ei - la Ei - la Ei - laa
ppp
Ei - - laa Ei-la Ei - la Ei - la Ei - - laa Ei - laa
ppp
Ei - laa Ei - laa Ei - laa Ei - laa

Tuskin kuuluvasti
Ei - la Ei - la Ei - la
Ei - la Ei - la Ei - la
Ei - - - laa
Ei - laa
Ei - la Ei - la Ei - la
Ei - la Ei - laa
Ei - - laa
Ei - laa

Reippaasti
mf
Hy - vää il - taa lin - tu - se - ni, hy - vää il - taa lin - tu - se - ni,
mf
Bassot marcato
hy - vää il - taa nyt mi-nun o - ma ar - ma - ha - ni! Tans-si, tans-si
f
mf
lin - tu - se - ni, tans - si, tans-si kul - ta - se - ni, tans - si, tans - si
Bassot marcato
nyt mi-nun o - ma ar - ma - ha - ni! Sei - so, sei - so lin - tu - se-ni,
p Sei-so
p
p Bassot marcato
sei - so
sei - so, sei - so kul - ta - se - ni, sei - so, sei - so nyt mi-nun o - ma

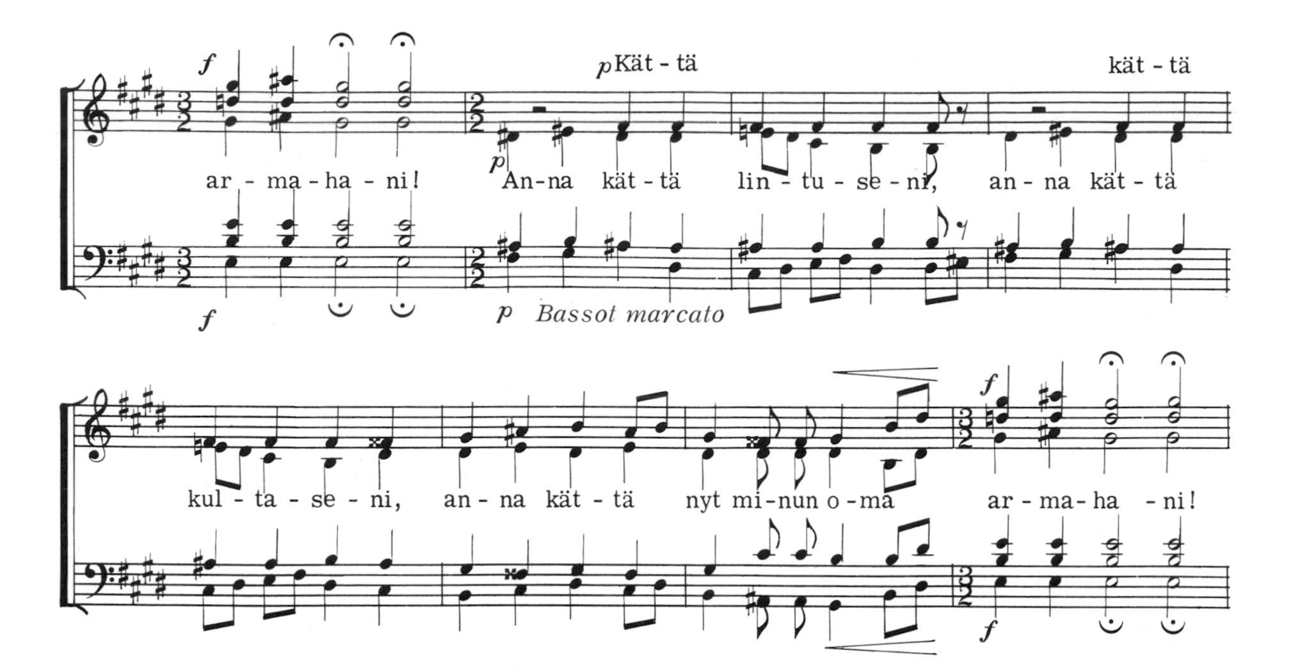
f
p Kät - tä
kät - tä
ar - ma - ha - ni!
p An-na kät - tä lin - tu - se - ni, an - na kät - tä
f
p Bassot marcato
f
kul - ta - se - ni, an - na kät - tä nyt mi-nun o - ma ar - ma - ha - ni!
f

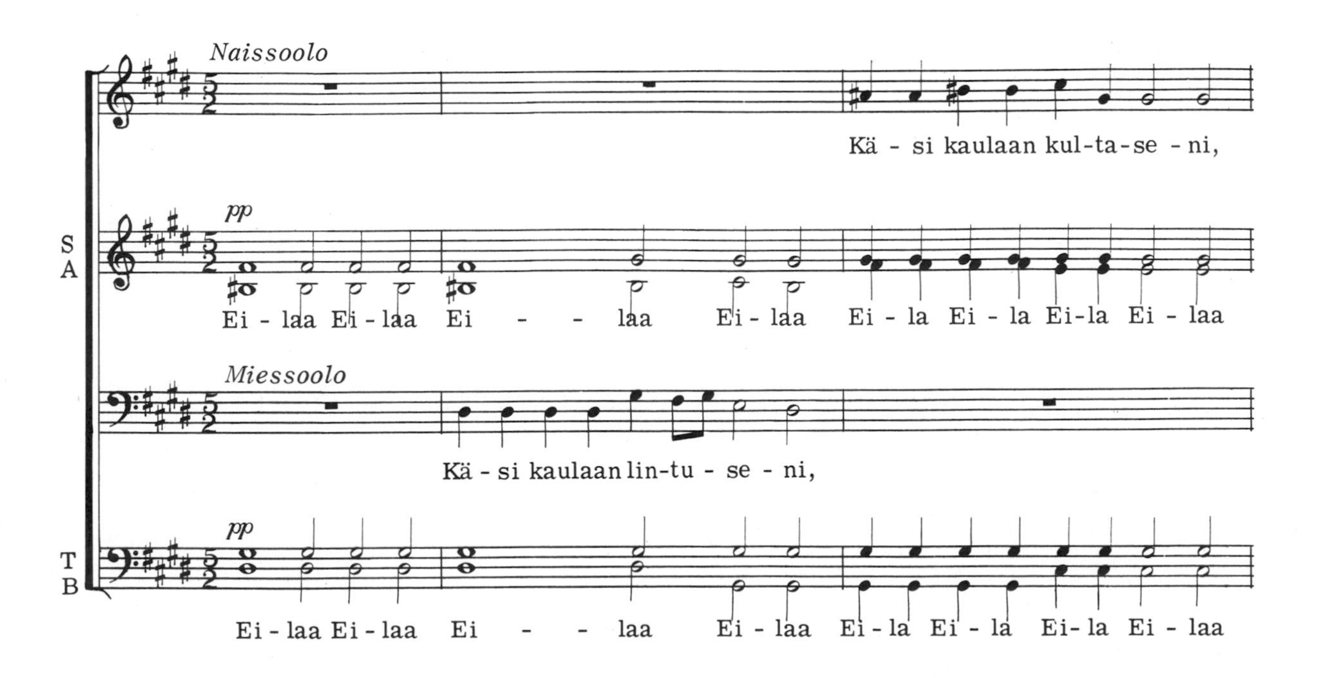
Naissoolo
Kä - si kaulaan kul-ta-se - ni,
pp
S
A
Ei - laa Ei - laa Ei - - laa Ei - laa Ei - la Ei - la Ei-la Ei - laa
Miessoolo
Kä - si kaulaan lin-tu - se - ni,
pp
T
B
Ei - laa Ei - laa Ei - - laa Ei - laa Ei - la Ei - la Ei- la Ei - laa

ha-la - us -ta nyt minun o - ma ar - ma-ha-ni!
Ei - - laa Ei-laa Ei-la Ei-la Ei - la Ei - la Ei - la Ei - laa
ha - la - us-ta kul-ta-se- ni ha-la - us - ta nyt minun o - ma ar-ma-ha-ni!
Ei - - laa Ei-laa Ei-la Ei-la Ei-la Ei-la Ei-la Ei-laa

Suu -ta, suu- ta kul-ta - se - ni,
Ei - - - laa Ei - laa Ei - la Ei - la Ei - la Ei - laa
Suu-ta, suu-ta lin- tu - se - ni,
Ei - - - laa Ei - laa Ei - la Ei - la Ei - la Ei - laa

ha - la - us-ta nyt minun o - ma ar-ma-ha-ni,
Ei - - laa Ei - laa Ei-la Ei-la Ei - la Ei -la Ei-la Ei - laa
ha-la - us- ta lin-tu - se- ni, ha-la - us - ta nyt minun o - ma ar - ma-ha-ni,
Ei - - laa Ei - laa Ei - la Ei - la Ei - la Ei - la Ei-la Ei - laa

Hitaasti
ppp
Ei - laa Ei - laa Ei - laa Ei - - laa Ei - laa
Suu- ta! Suu - ta! Mi - nun
ppp
Ei - laa Ei - laa Ei - laa Ei - - laa Ei - laa

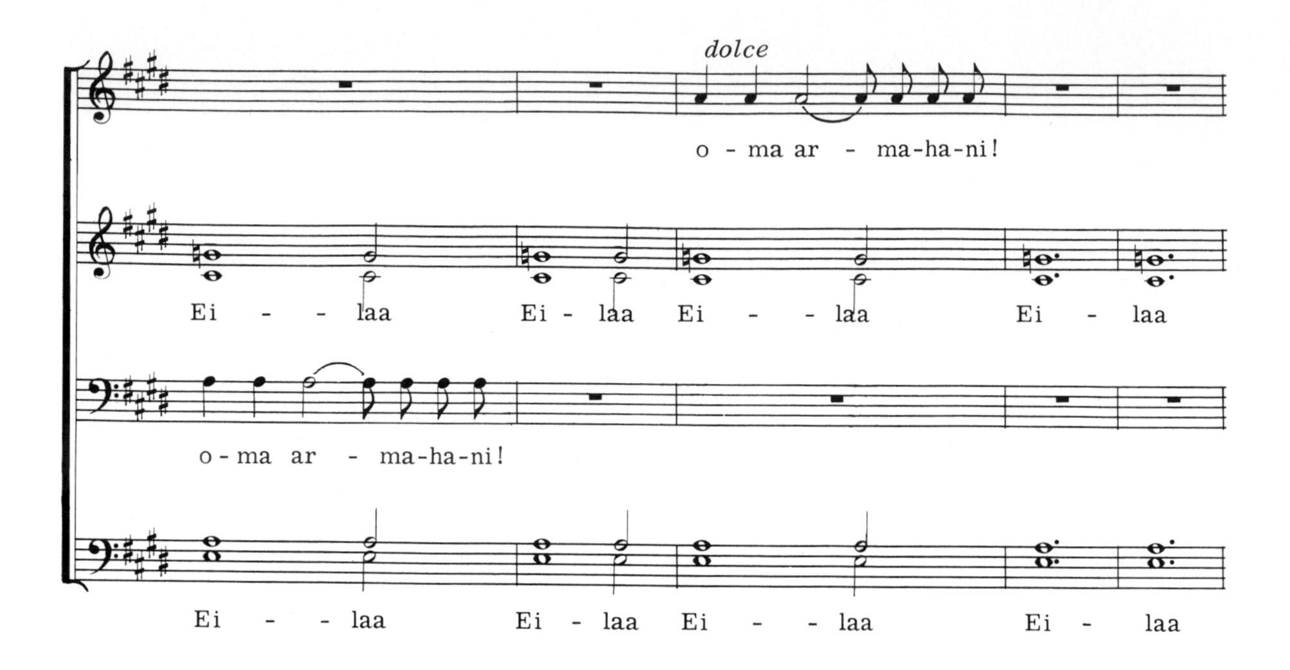
dolce
o - ma ar - ma-ha-ni!
Ei - - laa Ei - laa Ei - - laa Ei - laa
o - ma ar - ma-ha-ni!
Ei - - laa Ei - laa Ei - - laa Ei - laa

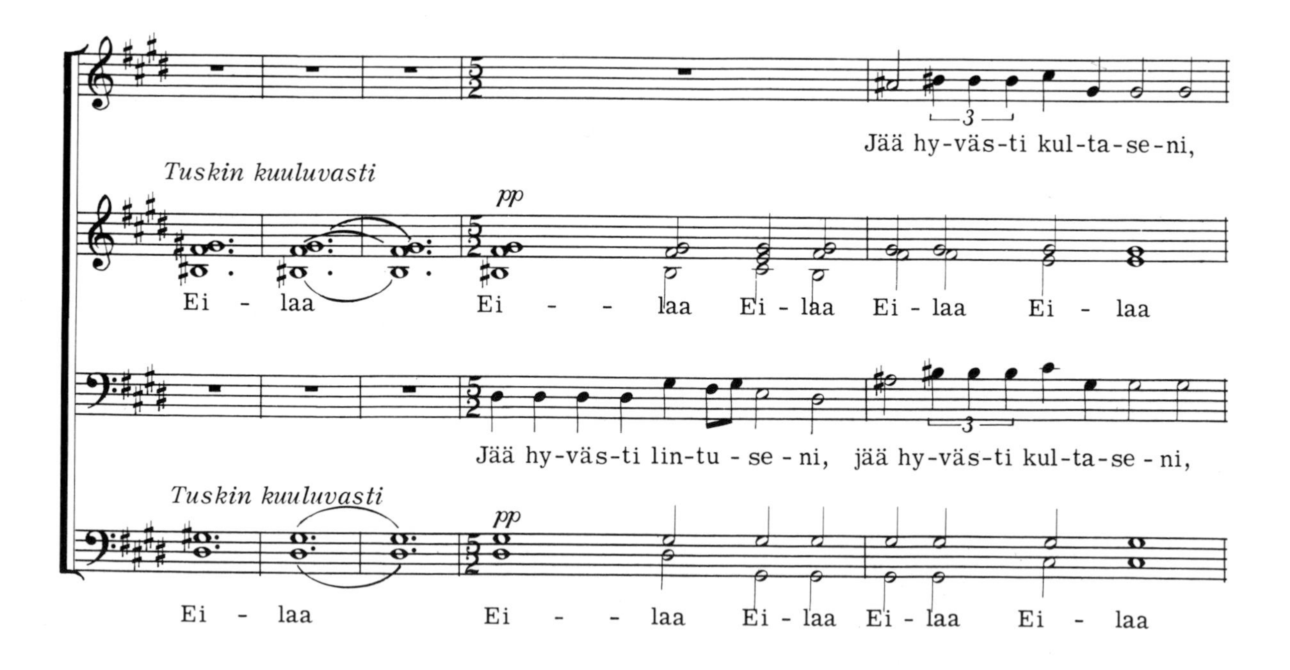
Jää hy-väs-ti kul-ta-se-ni,
Tuskin kuuluvasti
pp
Ei - laa Ei - - laa Ei - laa Ei - laa Ei - laa
Jää hy-väs-ti lin-tu - se - ni, jää hy-väs-ti kul-ta-se - ni,
Tuskin kuuluvasti
pp
Ei - laa Ei - - laa Ei - laa Ei - laa Ei - laa

jää hy-väs-ti nyt minun o- ma ar-ma-ha-ni!
Ei - - laa Ei - laa Ei - laa Ei - laa Ei - la Ei - laa.
jää hy-väs-ti lin - tu - se - ni, jää hy-väs-ti nyt minun o - ma ar-ma-ha - ni!
Ei - - laa Ei - laa Ei - laa Ei - laa Ei - la Ei - laa.